Pour Rosaleen
M.W.
Pour Papa
J.B.

Texte français d'Elisabeth Duval
© 1998 - Mijade (Namur) pour cette édition
© 1991 - Martin Waddell pour le texte
et Jill Barton pour les illustrations
© 1991 - Kaléidoscope pour la première édition française
Titre original : The Happy Hedgehog Band
Walker Books
(London)
ISBN 2-87149-8
D/1998/3712/13
Imprimé en Belgique

Martin Waddell

Le concert des hérissons

Jill Barton

Mijade

Au cœur de la forêt
de Fontainebleau
vit un hérisson plein d'entrain
prénommé Julien.

Julien adore le bruit
alors il se fabrique un gros tambour
et il bat le tambour
boum-boum-badaboum.

Une hérissonne prénommée Simone
se promène dans la forêt.
Elle entend
boum-boum-badaboum
et cela lui plaît.

Alors elle se fabrique un tambour
et court rejoindre
le bruit que fait Julien.

C'est aussi ce que fait un hérisson
prénommé Gaston
et un autre appelé René :
ils se fabriquent des tambours

et marchent derrière le
boum-boum-badaboum.
Et c'est ainsi que tous les hérissons
avec leurs tambours
se retrouvent bientôt
autour de Julien.

Boum-boum-badaboum
fait un tambour :
c'est celui de Julien.

Dadi-dadi-doum
fait un tambour :
c'est celui de Simone.

Ratta-tat-tat
fait un tambour :
c'est celui de Gaston.

Et
BOUM !
fait un tambour :
c'est celui de René.

Boum-boum-badaboum
dadi-dadi-doum
ratta-tat-tat
BOUM !
Boum-boum-badaboum
dadi-dadi-doum
ratta-tat-tat
BOUM !

Et la forêt tout entière
bourdonne
tonne
et résonne.

«ARRÊTEZ!»

crient le faisan,
le hibou et l'abeille
et la taupe dans sa taupinière
et
Charlie le blaireau
et sa mère
et le renard et le corbeau
et le chevreuil et le crapaud
et la colombe
et l'araignée
et
le chien
qui s'est égaré
dans la forêt.

Boum
font les tambours
puis se taisent.

« Nous voulons jouer
nous aussi ! »
disent les autres.
« Mais nous n'avons
pas
de tambours.
Alors
que pouvons-nous
faire ? »

Personne ne sait,
sauf Julien.

Julien est incollable
sur les bruits.
Alors il dit :

tu peux bourdonner,

tu peux hululer,

«Tu peux caqueter,

tu peux coasser.

claquer dans tes doigts,

taper dans tes mains,

tu peux siffler,

Nous vous accompagnerons avec nos tambours.»

Et…

c'est ce
qu'ils font…

et le chien
qui s'est égaré
dans la forêt
se met à danser.

Boum-boum-badaboum
Dadi-dadi-doum
Ratta-tat-tat

BOUM !